Juan Juanetes

Juan Juanetes

Gerardo Méndez

Ilustraciones de Érika Martínez

Méndez, Gerardo
      Juan Juanetes / Gerardo Méndez; il. Érika Martínez – México :
Ediciones SM, 2005 [reimp. 2015]
[58] p. : il. ; 19 x 12 cm – (El barco de vapor. Blanca ; 18)

ISBN : 978-970-688-555-5

1. Cuentos colombianos. 2. Literatura infantil. 3.Humor en la
literatura. 4. Aventuras – Literatura infantil. 5. Valentía – Literatura
infantil. I. Martínez, Érjka, il. II. t. III. Ser.

Dewey C863 M46

lustraciones y cubierta: Érika Martínez
Diseño de interiores y portada: Asbel Ramírez

Primera edición, 2004
Octava reimpresión, 2015
D. R. © SM de Ediciones, S. A. de C. V., 2004
Magdalena 211, Colonia del Valle,
03100, México, D. F.
Tel.: (55) 1087-8400
Para conocer SM, su fondo editorial y sus servicios: www.ediciones-sm.com.mx

ISBN 978-970-688-555-5
ISBN 978-968-779-176-0 de la colección El Barco de Vapor

Miembro de la Cámara Nacional de la Industria Editorial Mexicana
Registro número 2830

Impreso en México / *Printed in Mexico*

Con admiración a mi madre, a Eva,
a las hadas de mis cuentos
Mariana y Marcela
y a todas las abuelas, maravillosas
tejedoras de historias

Y por supuesto a ti...

Había una vez
un niño llamado Juan.
Era alto y flaco
"como una palmera"
decía su madre,
"sí, pero con cara de coco"
gritaba su hermana,
a la que Juan molestaba un día sí,
y otro también.

En el pueblo donde él vivía,
que por cierto
no era tan pequeño,
todos lo conocían como
Juan Juanetes;
el por qué de su nombre
ya nadie lo recuerda
pero siempre se le llamó así.

Bueno,
eso es lo que él cuenta,
pues a este niño
le gustaba mucho
inventar historias,
todo lo exageraba.

Gustaba
de la temporada de vientos
y cuando ésta sacudía al pueblo
como cobija vieja,
él les contaba a sus amigos
que un día vio
al amo de los *huracanes*
abanicándose con una enorme
hoja de plátano
haciendo volar
todo por los aires.

Para cada suceso por
    normal o extraño que fuera
él tenía una historia.
El pueblo de Juan
colgaba de una montaña
como enredado
entre los chamizales.
Parecía sostenido de las nubes
por los papalotes que los niños
solían elevar hacia el cielo.

Sus habitantes
llevaban a las ovejas
a pastar
a las faldas de la montaña.
Para unos,
era un simple trabajo;
para los niños
y los jóvenes
era algo muy especial
pues se decía
que la montaña
estaba habitada por
seres mágicos
y misteriosos.

Algunos habitantes
sabían inventar
historias increíbles.
Juan heredó
esa tradición.

Por eso
cuando los niños
y las niñas
cumplían los ocho años,
el padre, el abuelo,
o algún mayor de la familia
les hablaban
sobre la responsabilidad
y la valentía
que representaba crecer;
para demostrarlo
debían pasar
tres días completos
con las ovejas
en la montaña.

Era un gran acontecimiento
y se realizaba
con una ceremonia
a la que invitaban a todos,
niños y jóvenes
que ya habían estado allí.

Al candidato iniciado
le entregaban
un pequeño tambor
del que colgaban
unos cascabeles
debía acompañarlo siempre
y tocarlo para ahuyentar a
los animales salvajes o
para llamar al pueblo
en caso de una emergencia.

Además del tambor,
también le regalaban
un morral tejido cuidadosamente
por alguna de las mujeres
de la familia
para llevar en él su comida.

Como a Juan
le gustaba mucho leer,
su abuela metió a escondidas
en su morral
su libro preferido.
Por último, Juan recibió
un bastón
delicadamente tallado
por su abuelo,
y todos pensaban
que era para evitar
que se derrumbara
por el camino.

Todos estos objetos
no podían faltar
cuando se iba a las alturas.

Así,
una mañana
después de la ceremonia,
la montaña recibió a Juan.
Una lluviecita fina
como alfileres de hielo
se le metió entre la ropa.

Buscó un lugar calientito
para quedarse,
soltó por el valle a las ovejas
y se dispuso
a sacar de su morral
el jarrito con chocolate caliente
y el pan preparado en casa.

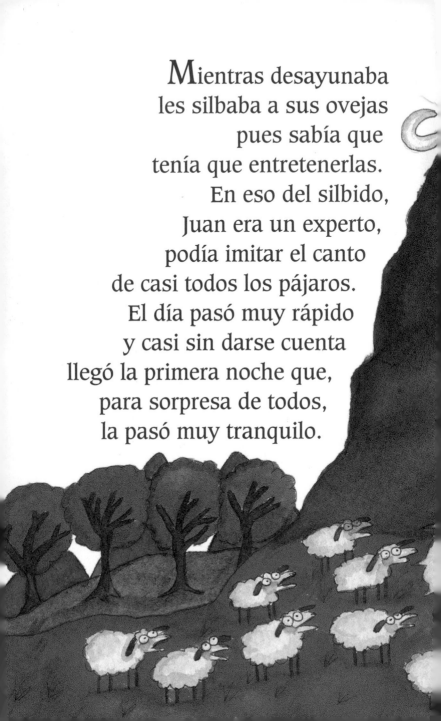

Mientras desayunaba
les silbaba a sus ovejas
pues sabía que
tenía que entretenerlas.
En eso del silbido,
Juan era un experto,
podía imitar el canto
de casi todos los pájaros.
El día pasó muy rápido
y casi sin darse cuenta
llegó la primera noche que,
para sorpresa de todos,
la pasó muy tranquilo.

Reunió sus ovejas,
y les advirtió que no quería
que se alejaran
mientras él dormía.

—Estáaaaa biennnnnn
—respondieron ellas—,
cosa que no extrañó a
Juan, pues en casi todos
los cuentos
que había leído,
los animales
hablaban.

El segundo día
fue muy tranquilo
para Juan Juanetes,
quien con más confianza,
mientras sus ovejas pastaban,
descubrió una variedad
de árboles y plantas,
animales pequeños
y no tan pequeños,
creó muchas historias,
leyó algunos de los cuentos
y corrió
con las ovejas
montaña arriba.

La noche llegó
y se quedó
profundamente dormido.

No fue
sino hasta la tercera noche
cuando Juan se asustó.
El viento comenzó a soplar
muy fuerte
y Juan Juanetes
empezó a escuchar
como un **aullido**
entre los arbustos.

Las sombras de los árboles
le parecían animales feroces,
un poco temeroso
y algo aburrido
de estar solo
quiso ver qué pasaba
si tocaba su tambor
llamando a los del pueblo.

Mientras tocaba, grító:
—¡Lobo, lobo, que viene el lobo!,
¡ayúdenme!
El grito
no se le atoró
en la garganta,
ni se quedó
descansando en el pasto,
el grito hizo lo suyo,
salió corriendo;
mejor dicho volando
montaña abajo,
saltando rocas,
rodeando árboles,
espantando ranas y pájaros.

El grito
se coló por las puertas
y ventanas
de todo el pueblo
hasta que finalmente
llegó a la casa de Juan,
entró por la chimenea
de la cocina y alcanzó
la cama de sus padres
que al oír el grito de su hijo

saltaron,
se vistieron rápidamente,
salieron a la calle
donde ya estaban
los demás habitantes
del pueblo reunidos,
y caminaron
medio adormilados
hacia la montaña.

Al llegar,
encontraron a Juan muerto...
pero de risa
No podía parar de reír
al ver la cara de desvelados
de todos los que llegaron.

Enojados
por la pesada broma de Juan,
se regresaron refunfuñando
y de castigo
lo dejaron una noche más
en la montaña.

Pero esa cuarta noche
algo muy extraño sucedió:
el viento nuevamente
comenzó a gemir aullando,
la luna asustada
se ocultó
entre la espesura de los árboles,
en medio de los rayos
y los truenos de tormenta.

Una sombra
le provocó un intenso escalofrío
que recorriéndole todo el cuerpo
lo dejó paralizado:
era algo enorme que se movía.

Por fin distinguió
unos ojos brillantes,
dos colmillos blancos
que brillaban
como cuchillos
en la fría noche.

Le pareció ver
al lobo gris más grande
que jamás imaginó; más feo
que los que habían aparecido
en historias y fábulas
que le habían contado.

Juan temblaba,
no pudo tomar su tambor,
quiso tocarlo pero el miedo
se lo impedía,
con voz tembleque
y tartamudeando, preguntó:

—¿Loooobooo, essssstás ahííííí?
—Sí, y me estoy
poniendo mis dientes.
Juan estaba realmente asustado.
Ni en las más horribles historias
había escuchado algo así.

Haciendo un gran esfuerzo
volvió a preguntar
como para asegurarse
que no se trataba de una
pesadilla.

—Lobo, ¿seguro estás ahí?
—Síííí, y ahora
me estoy poniendo mis garras.
Juan soltó el tambor
y salió corriendo.
Se olvidó de las ovejas.
Ya no le importaban nada,
ni siquiera el regaño de su padre,
ni la burla de sus amigos.

El miedo
le mordía los pantalones,
corrió tanto
que se tuvo que detener
muy cansado
a tomar aire.

Le pareció escuchar
una horrible carcajada,
tal vez su padre
o algún amigo
jugándole una broma,
no era momento de averiguarlo,
quería escapar,
su imaginación
se lo llevó corriendo de allí,
las hojas de los árboles
se movían como agitadas
ya no por el viento
sino por una fuerza invisible.

Juan estaba
realmente asustado.
Pasó volando
sobre tres charcos,
no se dio cuenta
y se hundió en el agua
hasta las rodillas,
sus zapatos chapoteaban
haciendo un ruido chistoso.

Una encorvada sombra
se proyectó
en el tronco de un árbol.
Juan tomó su bastón,
estaba dispuesto
a defenderse como fuera;
las manos le sudaban.

El bastón se le cayó
y rodó entre los arbustos.
Juan se escondió
detrás de una piedra.
El sudor escurría por su frente
y sacó el paliacate,
pero al momento
de querer guardarlo
en el morral
sintió que algo o alguien
le tocaba el hombro.

Se quedó quieto
casi sin respirar,
las hojas secas
y ramas crujían
como si alguien
las estuviera pisando.
La niebla
se hizo más espesa
y terminó de cubrir
al resto de la
montaña.

En ese momento
un graznido espantoso
llenó la soledad de la montaña.
Juan no se movió,
sentía una especie de pezuña,
de garra.
Pensó en la comida del morral:
tal vez si le ofrecía algo
lo soltaría,
pero no,
estaba demasiado
aterrado
para mirar,
y su garganta
demasiado seca para preguntar.

Se acordó cuando
en el patio de la escuela
jugaba a las atrapadas
y quiso hacer lo mismo:
con un movimiento rápido
se sacó el jorongo por la cabeza,
y sin mirar hacia atrás
corrió de nuevo.

A la vuelta de una peña,
vio entre el sudor y las lágrimas,
una luz brillante,
como náufrago perdido
en medio de la noche
se dirigió hacia ella.
Se detuvo.
"¿Qué le voy a decir a mis papás?"
pensó, "algo se me ocurrirá."
y comenzó a caminar
hacia el pueblo.

Estaba tan oscuro
que no reconoció
las primeras calles.
Se sintió perdido.
Las rodillas le temblaban,
trató de orientarse;
a la vuelta de un callejón
tropezó con algo y
sin aguantar más dio
un horrible grito,
levantó la cara
y vio que
era su
abuela.

Había salido a la calle,
pues la tormenta
era muy extraña,
ella como casi todos los habitantes
de ese pueblo
sabía leer los labios del viento
que esa noche
silbaba misteriosamente.

Pensando en su nieto
caminó hacia la montaña
con una lámpara en la mano,
que como un faro para orientar
a los marinos en el mar,
le sirvió a Juan
para encontrar
el camino de regreso.
Abrazó fuerte a su abuela.
Ella no preguntó nada,
—Aaah muchacho,
mira como vienes —fue
lo único que le dijo
mientras le secaba
la cabeza con el rebozo.

Abrazado a la anciana
caminó hasta la casa,
sentía frío.
Los zapatos
estaban muy mojados,
de vez en cuando
levantaba la cabeza
para mirar hacia atrás,
esperando alguna respuesta
a lo que acababa de vivir.

Sus papás
aún estaban despiertos.
A Juan le pareció raro
que ellos
no estuvieran asustados.
Su mamá le dio ropa seca y
después de un buen plato
de sopa caliente,
su papá le preguntó
por las ovejas.

Él, no sabía qué decir;
quiso inventar
una historia fantástica,
pero los ojos de su abuela
se lo impidieron,
así que dijo la verdad.

Su padre escondido
tras el humo
de la sopa, sonrió.
A Juan esta risita
le pareció misteriosa,
pero no preguntó nada,
esperaba el grito de sus padres.
Al contrario, dijeron
que temprano en la mañana
regresarían a buscar
a los animales.

Juan tardó un rato en dormirse,
¿qué era lo que había visto?,
¿había sido su imaginación?,
¿pero y el aullido
y la horrible garra?,
y hasta un lobo que hablaba.

Se levantó
y miró hacia la montaña
con la esperanza de recibir
alguna explicación a sus dudas.
Ahora entendía el por qué
del nombre de
la Montaña Encantada,
esperaba con ansiedad
que fuera de día
para contarle a sus amigos
aquella aventura,
donde él solo se había
enfrentado
al más feroz de los lobos.

El susto y Juan
durmieron esa noche
en el regazo de su abuela.
A pesar de la protección de ella,
no dejó de oír
el soplar del viento
que al pasar
por las rendijas de la casa,
parecía reírse
burlonamente.

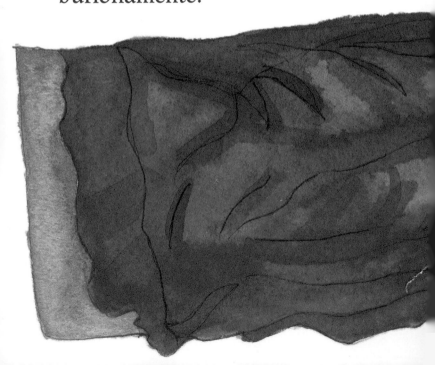

Cuando
a la mañana siguiente
fueron nuevamente
a la montaña,
que ya sin niebla parecía
más tranquila y calmada,
subieron evitando
los pocos charcos
que aún quedaban.

Juan,
que había pensado que todo
había sido producto
de su gran imaginación,
se quedó perplejo
al constatar
que no sólo él había visto aquello.
También las ovejas
se asustaron mucho.
Las encontraron encaramadas
en los árboles.
Todavía hoy la gente
se ríe al acordarse
de aquellos árboles blancos
cargados de ovejas asustadas.

Juan Juanetes
se terminó de imprimir en septiembre de 2015
en Fotolitográfica Argo, S. A.,
Calle Bolívar No. 838, Col. Postal,
C. P. 03410, Benito Juárez, México, D. F.
En su composición se empleó la fuente Caxton.